Shafina year 5

Le P'tit Bonhomme
des Bois

Joyeux Noël
CM$_2$ B

GW00420610

« À mes deux enfants, Julien et Guillaume, qui m'ont fait papa
et m'autorisent à leur raconter des histoires tous les soirs.»

P. D.

© Didier Jeunesse, 2008 pour la présente édition – © Didier Jeunesse, 2003 pour le texte et les illustrations
8 rue d'Assas 75006 Paris – www.didierjeunesse.com
Photos : Olivier Mauffrey – Conception & réalisation graphiques : Isabelle Southgate
Photogravure : MCP – Achevé d'imprimer en France par Clerc en janvier 2008
ISBN : 978-2-278-06153-2 – Dépôt légal : 6153/01
Loi n°49956 du 16 juillet 1949 sur les publications destinées à la jeunesse

Le P'tit Bonhomme des Bois

Une histoire racontée par
Pierre Delye

et illustrée par
Martine Bourre

Didier Jeunesse

Il était une fois

un p'tit bonhomme des bois.

Il était un peu tête en l'air et espiègle avec ça.

Ce jour-là, le p'tit bonhomme des bois marche dans la forêt.

Il suit le chemin et ses pensées : le chemin des idées

et le sentier de la forêt.

Mais caché derrière un arbre,
un blaireau le regarde.

Le blaireau dit avec un petit sourire :

« **Oh,** un p'tit bonhomme des bois,
ce doit être bon un p'tit bonhomme des bois,
je n'ai jamais mangé de p'tit bonhomme des bois,
je mangerais bien du p'tit bonhomme des bois. »

Et voilà le blaireau qui suit
le p'tit bonhomme des bois.

Et le p'tit bonhomme des bois ?

Il suit le chemin et ses pensées.

Mais embusqué derrière un deuxième arbre, un **renard** le regarde.

Le renard dit avec un fin sourire :

« **Tiens,** un p'tit bonhomme des bois,
ce doit être bon un p'tit bonhomme des bois,
je n'ai jamais mangé de p'tit bonhomme des bois,
je mangerais bien...
Oh, un blaireau...
Eh bien, je commencerai par le blaireau
et je finirai par le p'tit bonhomme des bois ! »

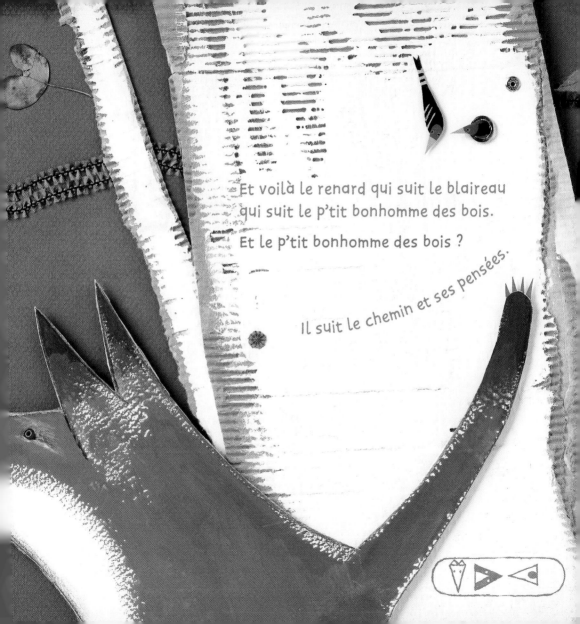

Et voilà le renard qui suit le blaireau
qui suit le p'tit bonhomme des bois.

Et le p'tit bonhomme des bois ?

Il suit le chemin et ses pensées.

Mais à l'affût derrière un troisième arbre, un **loup** le regarde.

Le loup dit en souriant de toutes ses dents :

« **Tiens,** un p'tit bonhomme des bois,
ce doit être bon un p'tit bonhomme des bois,
je n'ai jamais mangé de...
Oh, un blaireau...
et tiens, tiens, un renard...
Eh bien, je mangerai
d'abord le renard,
ensuite le blaireau
et enfin le p'tit bonhomme
des bois ! »

Et voilà le loup qui suit le renard qui suit
le blaireau qui suit le p'tit bonhomme des bois.

Et le p'tit bonhomme des bois ?

Il suit le chemin et ses pensées.

Mais derrière un quatrième arbre, **un grand et gros OURS** se gratte le bas du dos.

L'ours voit
le p'tit bonhomme
des bois et dit
avec un sourire
tout niais :

« **Oh,** un p'tit bonhomme des bois,
ce doit être bon
un p'tit bonhomme des bois...
Oh, un blaireau...
Je n'ai jamais mangé
de p'tit bonhomme des bois...
Tiens, un renard...
Je mangerais bien
du p'tit bonhomme des bois...
Ben voilà un loup maintenant !

Hé bien, puisque c'est comme ça,
moi, d'abord, je mangerai le loup,
puis je boulotterai le renard et le blaireau.
Et en dessert, je dégusterai
le p'tit bonhomme des bois ! »

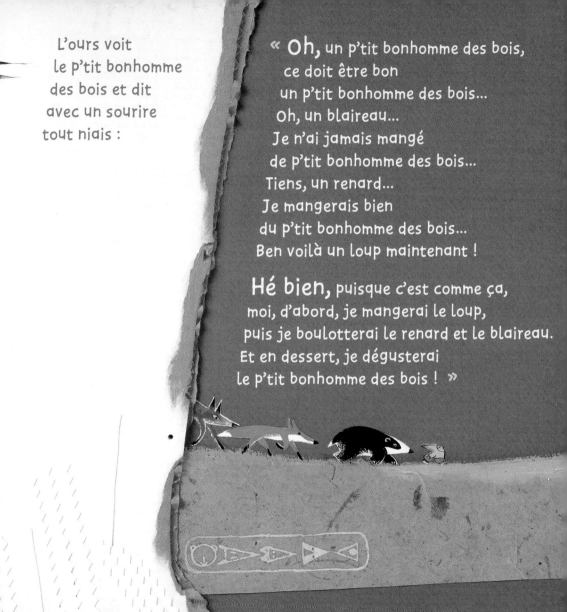

Et voilà l'**ours** qui suit **le loup** qui suit **le renard** qui su

e blaireau qui suit le p'tit bonhomme des bois.

Et le p'tit bonhomme des bois ?
Il a comme un mauvais pressentiment.

Il s'arrête. Et derrière lui, tout le monde s'arrête aussi.

Il regarde en l'air,

il regarde par terre.

Rien !

Il regarde à gauche, il regarde à droite.

Rien !

Il recommence à marcher.
Et derrière lui, tout le monde recommence à marcher.

Quand soudain, là, dans son dos,
un bruit !

« Craaac ! »

Puis un autre bruit !

« Crouiiish ! »

Alors d'un seul coup,

vroup ! le p'tit bonhomme des bois
se retourne et se retrouve
nez à nez avec le blaireau.

Et **ZOU**uum, il fonce entre les pattes du blaireau...
Et se retrouve nez à nez avec le renard.

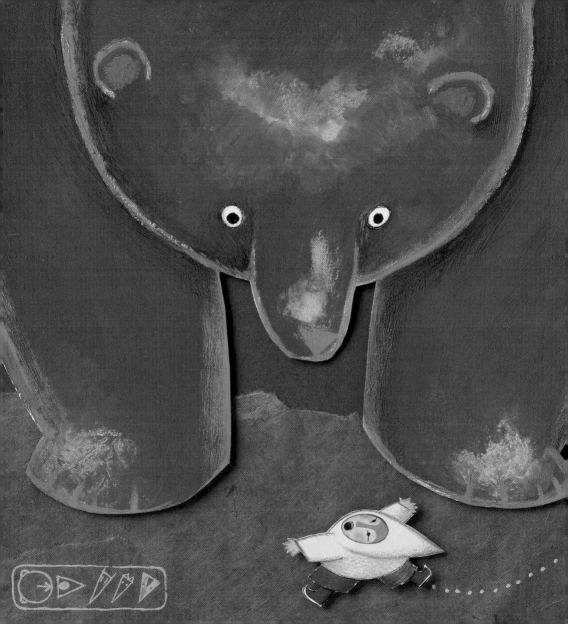

« Ah ! »
Un renard !
Et **zouuum**, il fonce
entre les pattes du renard...
Et se retrouve nez à nez
avec le loup.

« Ah ! »
Un loup !
Et **zouuum**, il fonce entre
les pattes du loup... Et se retrouve
nez à nez avec l'ours.

« Ah ! »
Un ours !
Et **zouuum**, il fonce
entre les pattes de l'ours...

Mais le blaireau, quand il s'est retourné,
oh ! il a vu le renard. Alors, vite, il s'est sauvé.

Le renard, quand il s'est retourné,
ouhla ! il a vu le loup.
Alors, vite, il a filé.

Le loup, quand il s'est retourné,
oups ! il a vu l'ours.
Alors, vite, il s'est rappelé qu'il ferait
mieux d'être ailleurs et il y est allé !

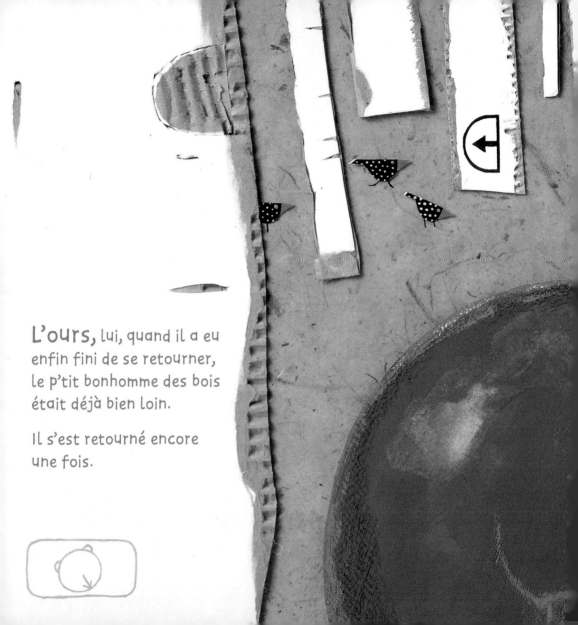

L'ours, lui, quand il a eu enfin fini de se retourner, le p'tit bonhomme des bois était déjà bien loin.

Il s'est retourné encore une fois.

Ben voilà
qu'il était tout seul
maintenant !
Alors là, l'ours n'a pas
tout compris ! Mais on
ne peut pas toujours
tout comprendre,
n'est-ce pas ?

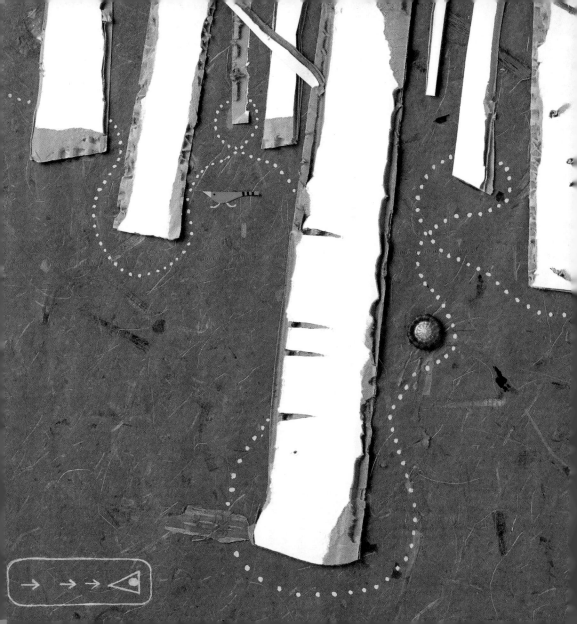

Le p'tit bonhomme des bois, lui,
il a tant cavalé que lorsqu'enfin il s'est arrêté,
ses bottes étaient toutes usées !

Comme cela s'est passé,
nous vous l'avons raconté.
Croyez-le ou pas,
mais l'histoire s'arrête là.

Voici, voilà.

Dans la même collection

Quel radis dis donc !

Praline Gay-Para
Andrée Prigent

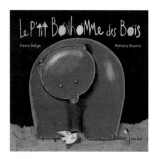

Le p'tit bonhomme des bois

Pierre Delye
Martine Bourre

Le bateau de monsieur Zouglouglou

Coline Promeyrat
Stefany Devaux

À quoi rêvent les vaches ?

Anne isabelle Le Touzé

Un grand cerf

Martine Bourre

Le secret

Éric Battut

Sélection Éducation nationale 2007

Ces ouvrages existent en grand format avec une couverture cartonnée,
à l'exception de « À quoi rêvent les vaches ? ».